CHILE
CONFIN DEL MUNDO

PABLO VALENZUELA VAILLANT

Chile, tierra de extremos. Desierto en el norte, hielos en la Patagonia austral. Cuatro mil kilómetros de mar y montañas lo separan del resto del planeta. Todo se configura aquí para hacer de este país una tierra de contrastes. Un rincon único en el extremo sur de América. Este libro es una invitación a captar la luz, los instantes y las formas que nos ofrece esta tierra alucinante. Una invitación a descubrir la esencia, magia y poesía de los grandes paisajes y los pequeños detalles de un Chile que no deja de sorprender.

From the bone-dry northern desert to icebound southern Patagonia, Chile is a land of extremes. Set apart from the rest of the world by over 4,000 km of ragged seacoast and tall mountains, everything here conspires to make this a land of stark contrast; a truly unique part of southernmost South America. This book is an invitation to capture the light, sights and forms of this wondrous land; a call to discover the essence, magic and poetry of both the grand landscapes and the minute details of a country that never ceases to amaze.

Pablo Valenzuela Vaillant

VALLE DE LA LUNA / VALLEY OF THE MOON

FARELLONES DE TARA / TARA BLUFFS

SALAR DE HUASCO / HUASCO SALT FIELDS

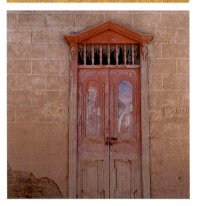

ISLA DE PASCUA / EASTER ISLAND

VALPARAISO

ARQUITECTURA DEL CENTRO DE SANTIAGO / ARCHITECTURE OF DOWNTOWN SANTIAGO

VIÑEDOS DE LA ZONA CENTRAL

VINEYARDS IN CENTRAL CHILE

ANDES CENTRALES / CENTRAL CHILE ANDES

ARAUCARIAS

HUERQUEHUE

LAGOS QUILLELHUE Y CONGUILLIO / LAKES QUILLELHUE AND CONGUILLIO

BOSQUES DE LA ARAUCANIA

FORESTS OF ARAUCANIA

PARQUE NACIONAL PUYEHUE / PUYEHUE NATIONAL PARK

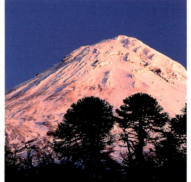

VOLCANES DEL SUR / VOLCANOES OF SOUTHERN CHILE

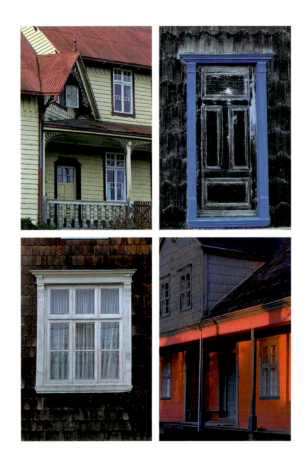

LAGO TODOS LOS SANTOS / LAKE TODOS LOS SANTOS

MATAO, ISLA DE CHILOE / MATAO, CHILOE ISLAND

PARQUE NACIONAL QUEULAT / QUEULAT NATIONAL PARK

LAGUNA SAN RAFAEL / SAN RAFAEL LAGOON

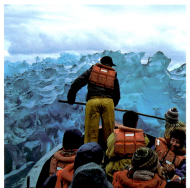

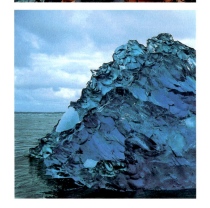

CUERNOS DEL PAINE, PATAGONIA

CIELOS PATAGONICOS / PATAGONIAN SKIES

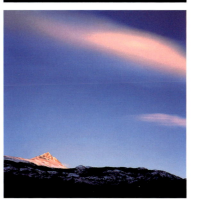

CERRO PAINE GRANDE / MOUNT PAINE GRANDE